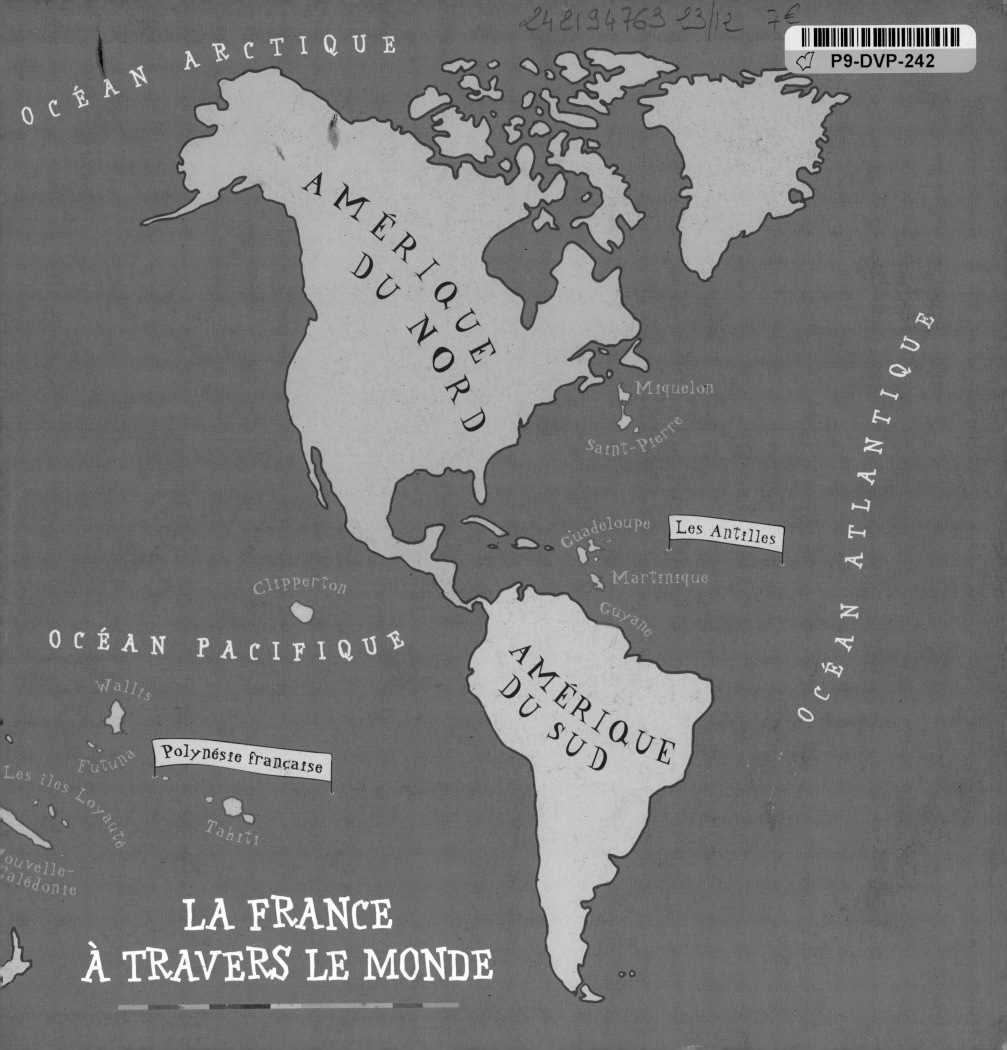

OCÉAN ARCTIQUE

AMÉRIQUE DU NORD

AMÉRIQUE DU SUD

OCÉAN PACIFIQUE

OCÉAN ATLANTIQUE

Miquelon

Saint-Pierre

Guadeloupe

Les Antilles

Martinique

Guyane

Clipperton

Wallis

Futuna

Polynésie française

Les îles Loyauté

Tahiti

Nouvelle-Calédonie

LA FRANCE À TRAVERS LE MONDE

La France est l'un des plus vastes pays d'Europe.
Elle n'est pourtant pas si grande que ça.
Une bonne journée suffit pour la traverser en voiture
du nord au sud ou d'est en ouest. Mais ce serait
dommage de ne pas s'arrêter en chemin...

UN PAYS TRÈS VARIÉ

Mer ou montagne, vastes plaines cultivées ou forêts profondes,
les paysages diffèrent beaucoup et peuvent changer
en quelques kilomètres. Pas étonnant que de nombreux
touristes visitent la France, également appréciée
pour la diversité de ses monuments, ses vins ou sa cuisine...

Si, en France, tout le monde parle français, certains mots
sont propres à une région. Ainsi, le pain au chocolat
qu'on dévore à la récré devient une chocolatine
dans le Sud-Ouest. On parle aussi d'autres langues,
comme le basque, le corse, le breton ou l'occitan,
sans oublier celles des terres lointaines d'outre-mer.

L'UNION EUROPÉENNE

La France appartient à l'Union européenne, qui réunit
25 pays qui tentent de vivre ensemble avec les mêmes règles.
Elles sont discutées au Parlement européen de Strasbourg
par les députés, des personnes qu'ont choisies les habitants
de tous ces pays pour les représenter.

Hommes, paysages, traditions
font de la France un pays aux multiples visages.
Un pays à découvrir...

Didier Mounié

L'ATLAS DES 5-8 ANS

MON PREMIER TOUR DE FRANCE

CLÉ DE LECTURE

Dans cet atlas, les capitales régionales sont signalées en rouge
et les préfectures des départements en orange. Toutes les cartes administratives
et physiques sont fidèles à la réalité. En revanche, l'éditeur a volontairement
faussé les distances et les échelles dans les grandes illustrations
qui proposent des voyages à travers les régions françaises,
pour que les enfants en aient une vision plus riche et globale.

Nous vous souhaitons à tous un agréable voyage...

MILAN
Jeunesse

GÉOGRAPHIE DE LA FRANCE

La France est bordée par l'océan Atlantique, la Manche, la mer du Nord et la Méditerranée.
Ses principaux voisins sont la Belgique, l'Allemagne, la Suisse, l'Italie et l'Espagne.

LES RÉGIONS ET DÉPARTEMENTS

La France est divisée en 22 Régions,
plus ou moins grandes. Elles apparaissent
sur le 1ᵉʳ calque avec leur capitale.
Ces Régions sont découpées en départements
à qui l'on a attribué des numéros.
À la tête de chaque département se trouve
une ville, la préfecture.
Par-delà les océans, des départements
d'outre-mer, les DOM, font aussi partie
de la France. Il s'agit de la Guadeloupe,
de la Martinique, de la Réunion
et de la Guyane.

Guadeloupe   Martinique   Guyane   Réunion

Enfin, un peu sous tous les climats,
et jusqu'en Antarctique,
d'autres territoires,
les TOM, dépendent
aussi de la France.

Terre Adélie

LES FLEUVES

Plusieurs grands fleuves coulent en France.

De nombreux bateaux
circulent sur la Seine.
À Paris se croisent
des péniches chargées
de marchandises et
des bateaux-mouches
qui promènent les touristes.

La France partage
le Rhin avec d'autres pays.
Ce fleuve est très important
pour l'Europe. Il permet
le transport des marchandises
depuis la Suisse jusqu'à
la mer du Nord.

La Loire est souvent
encombrée de bancs de sable
et son niveau varie
beaucoup selon la saison.
C'est pourquoi les bateaux
ne l'utilisent pas :
elle n'est pas navigable.

Le Rhône est si puissant
qu'on a construit des barrages
pour utiliser sa force. Un barrage
crée une chute d'eau qui fournit
de l'énergie. Cette énergie est
ensuite transformée en électricité.

La Garonne est trop dangereuse
pour les bateaux. Elle est longée
par un canal, une rivière creusée
par l'homme. De lourdes portes,
les écluses, retiennent l'eau
et s'ouvrent seulement
au passage des péniches.

LES MONTAGNES

Les montagnes françaises sont très différentes
les unes des autres. Les Vosges sont de vieilles
montagnes usées par le temps. Il en va
de même du Massif central où sommeillent
d'anciens volcans. Seule la France d'outre-mer
compte encore des volcans en activité.
Les sommets les plus hauts et les plus pointus
se trouvent dans les Pyrénées et surtout
dans les Alpes qui culminent
au mont Blanc, à 4 808 m.

Le Grand Ballon 1424 m · Les Vosges
Le Puy de Dôme 1464 m · Le Massif central
La Soufrière 1467 m · La Guadeloupe
Pic du Midi d'Ossau 2884 m · Les Pyrénées
La Barre des Écrins 4102 m · Les Alpes

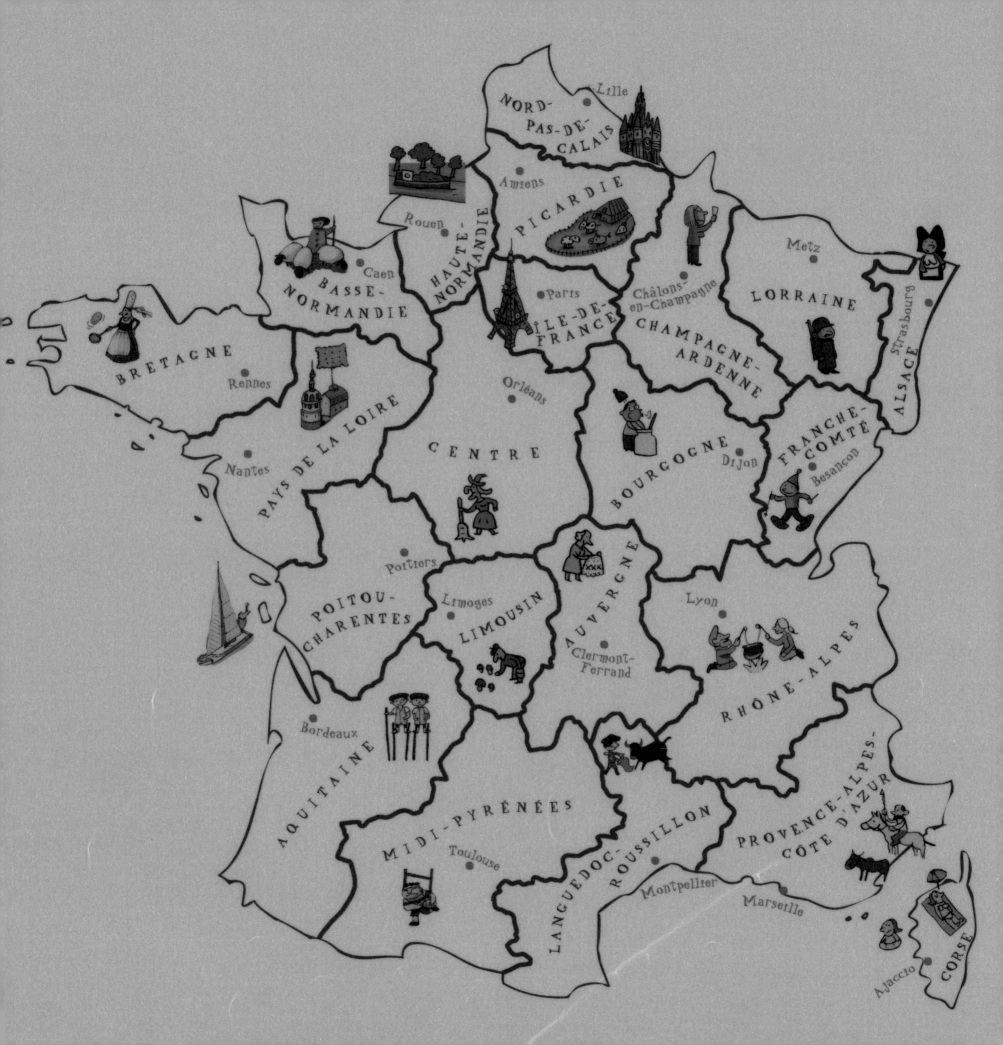

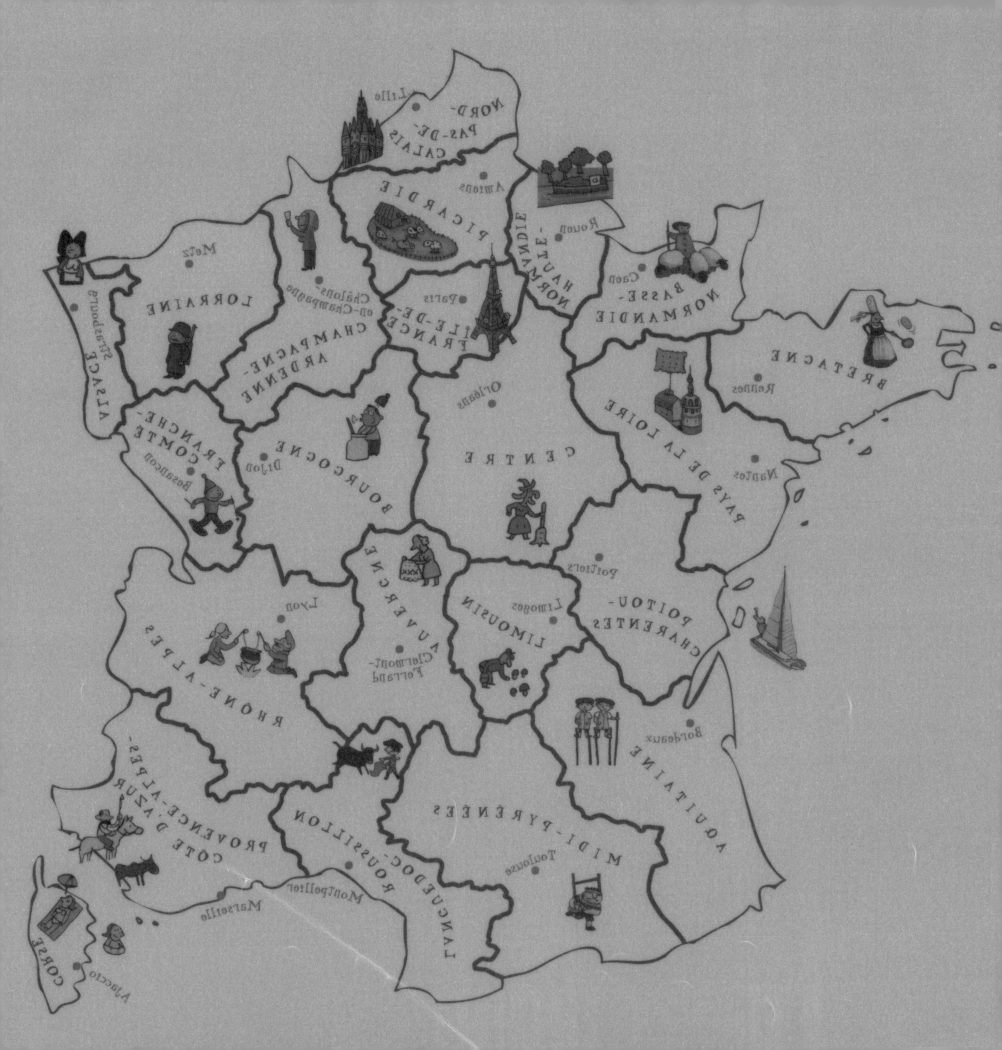

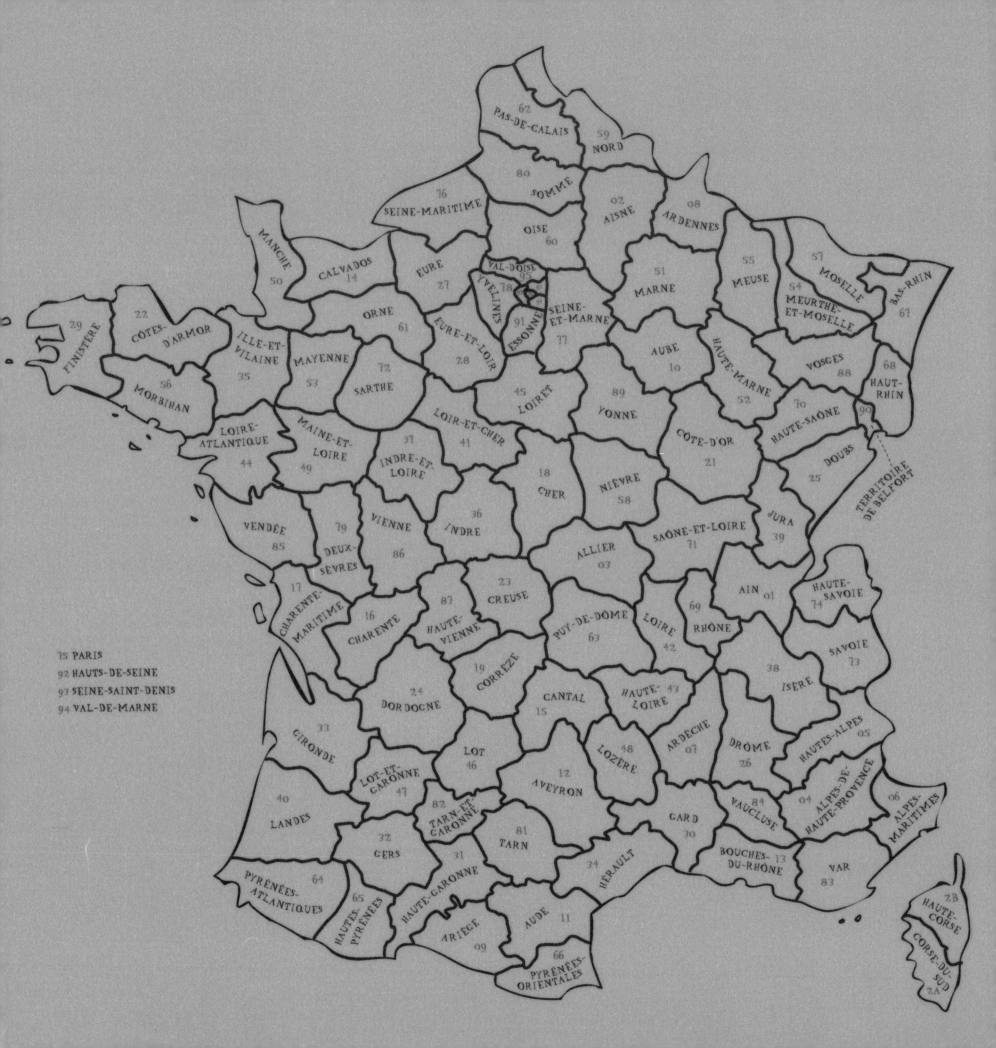

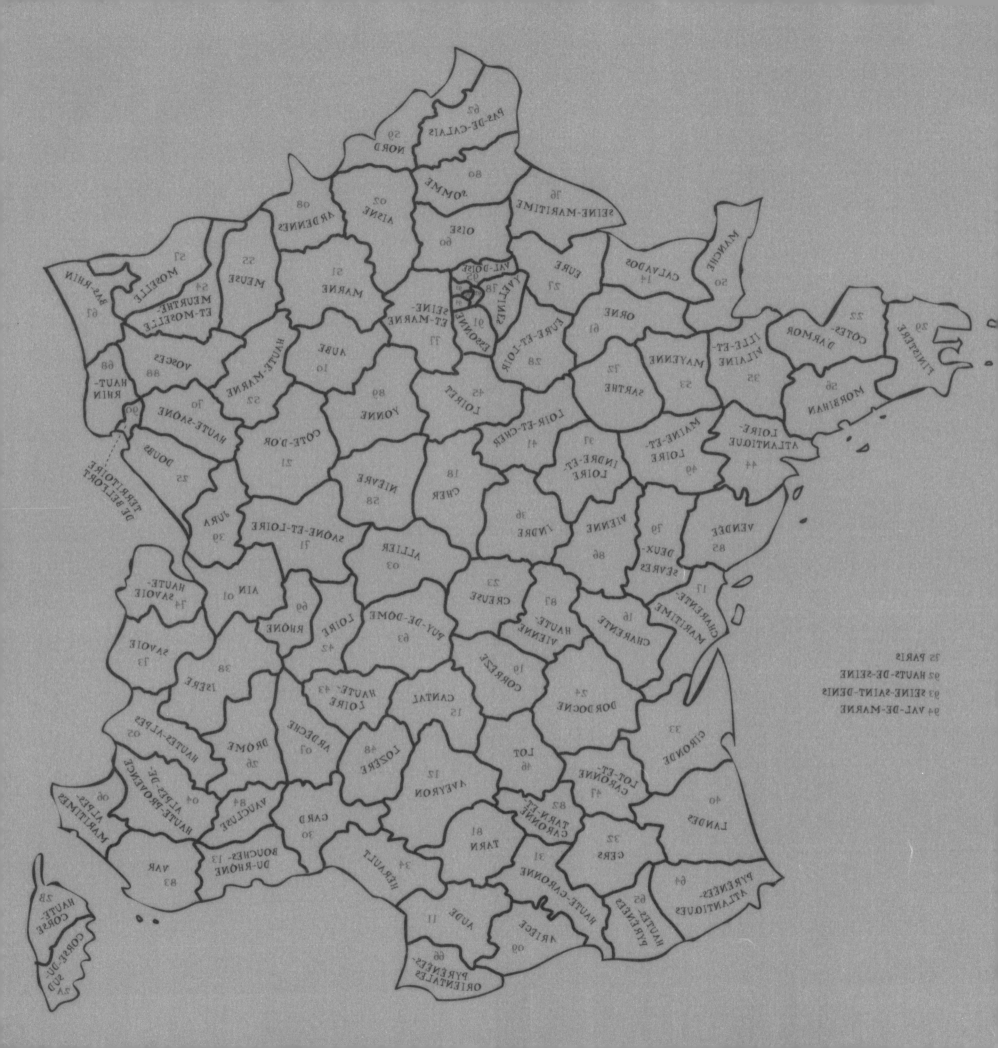

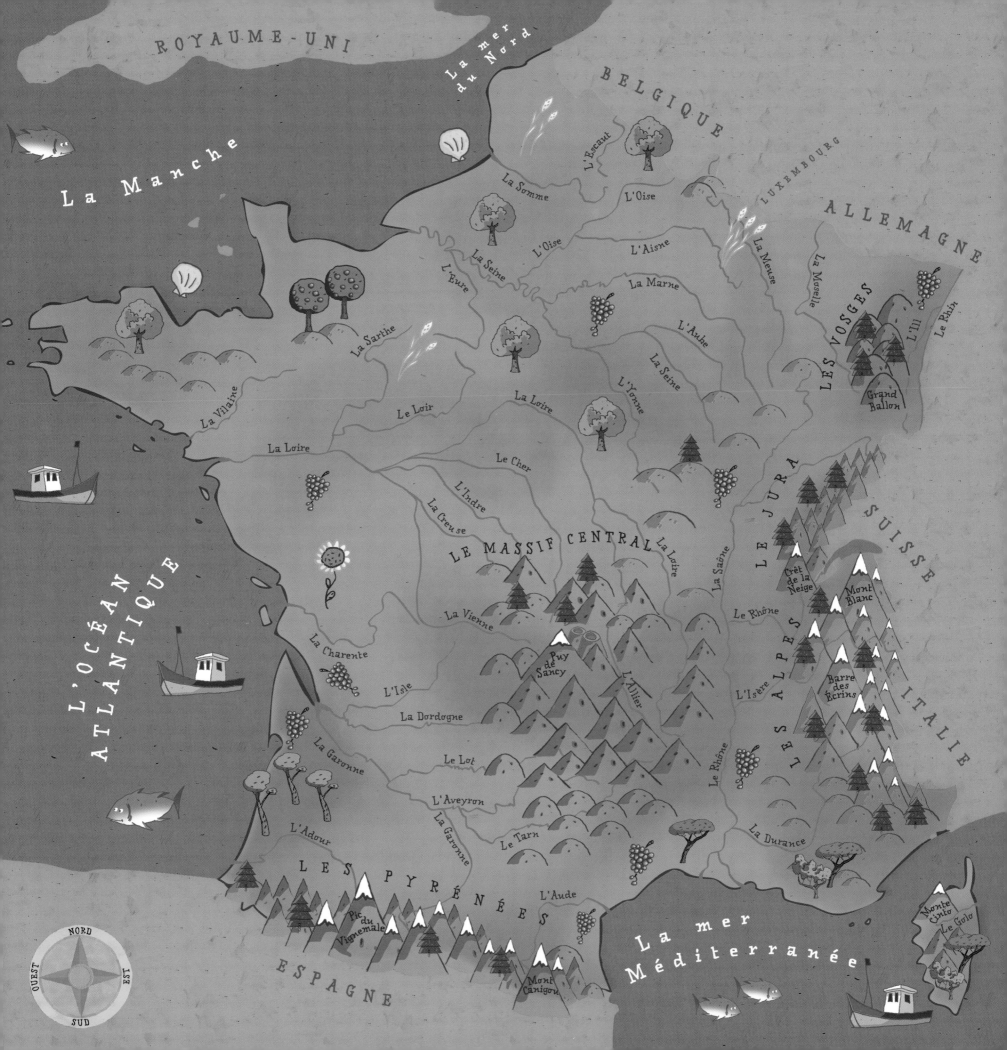

AUX 4 COINS DU MONDE, IL Y A LES DOM-TOM

On déterre parfois sur une île un trésor de pirates.
Mais la vraie richesse des **DOM-TOM**, c'est une nature
extraordinaire et des populations aux coutumes variées.

langouste

fou masqué

raie manta

CLIPPERTON

pirate naufragé

crabes

WALLIS

thon

case

OCÉAN PACIFIQUE

palmier

FUTUNA

crabe de cocotier

requin

RÉUNION

ST-DENIS

deltaplane

danseurs de maringue

chutes

canyoning

Piton des Neiges (3 069 m)

cascade

village typique

BORA BORA

LES ÎLES DE LA SOCIÉTÉ

PAPEETE

supplice de la planche

TAHITI

vahine

fleurs de tiaré

trésor des pirates

Piton de la Fournaise

MOOREA

fares

cueilleur de noix de coco

ST-PIERRE

caméléon

requins

barrière de corail

poisson-clown

la Poule Couveuse

OUVÉA

atoll

surfeurs

ÎLE DES APÔTRES

OCÉAN INDIEN

AMSTERDAM

albatros

St-PAUL

LES ÎLES LOYAUTÉ

LIFOU

pins colonnaires

MARÉ

ÎLE DE L'EST

ÎLE DE LA POSSESSION

gorfous sauteurs

cases

tricot rayé

mine

joueuses de cricket

NOUVELLE-CALÉDONIE

NOUMÉA

station météorologique

otarie

station scientifique

barrière de corail

centre culturel Tjibaou

ÎLE DES PINS

LES ÎLES CROZET

KERGUELEN

glacier

otaries

brise-glace

phare Amédée

pins colonnaires

phoque de Weddell

mouflons

TERRE ADÉLIE

orque

manchots

ANTARCTIQUE

base scientifique

barrière de corail

L'OUEST DE LA FRANCE

L'Ouest est largement ouvert sur la mer. Au bout de la Bretagne, le Finistère marque la « fin de la terre ». Après, c'est l'océan Atlantique... jusqu'en Amérique.

Le macareux moine, ou perroquet des mers, niche en petit nombre dans la réserve des Sept-Îles. Il pourrait disparaître en cas de marée noire, quand un pétrolier coule ou s'échoue.

Autour du Vieux Bassin, à Honfleur, se pressent de hautes et étroites maisons. Tous les ans, à l'automne, on fête la crevette, une spécialité du port.

Saint-Malo était une ville de corsaires. Ils attaquaient au nom du roi les navires des pays en guerre contre la France. Rien à voir avec les pirates, qui pillaient pour leur propre compte.

À La Tremblade, on élève des huîtres. D'abord en mer, puis dans des bassins délimités par des digues de terre : les claires. Là, les mollusques engraissent et prennent tout leur goût.

L'abbaye du Mont-Saint-Michel, en Normandie, trône sur son rocher au fond d'une baie en partie ensablée. À marée basse, la mer se retire au loin. Attention à ne pas se faire surprendre par son retour.

À Guérande, on exploite des marais salants. L'été, l'eau de mer s'évapore dans des bassins. Le sel se concentre, cristallise. Des ouvriers, les paludiers, le récoltent avec un long râteau sans dents.

Les 24 Heures du Mans rollers se déroulent sur un circuit habituellement réservé aux motos. Dans cette course de relais, l'équipe victorieuse est celle qui a parcouru la plus grande distance en 24 heures.

Île d'Ouessant

Île de Batz

Île de Bréhat

Cherbourg

MANCHE

CALVADOS
Caen
Lisieux

BASSE-
NORMANDIE

Saint-Malo

Saint-Lô

Brest

FINISTÈRE

CÔTES-
D'ARMOR

Saint-Brieuc

ORNE
Alençon

Île de Sein

Quimper

BRETAGNE

Rennes

ILLE-ET-
VILAINE

MAYENNE

Laval

Le Mans

Îles de Glénan

Île de Groix

Lorient

MORBIHAN

Vannes

PAYS DE
LA LOIRE

SARTHE

Belle-Île

Île d'Houat
Île de Hœdic

Saint-Nazaire

Île de
Noirmoutier

LOIRE-
ATLANTIQUE

Nantes

Angers
Saumur

MAINE-ET-
LOIRE

Cholet

Île d'Yeu

VENDÉE
La Roche-
sur-Yon

DEUX-
SÈVRES

Châtellerault

VIENNE

Poitiers

Les Sables-
d'Olonne

Île de Ré

La Rochelle

Niort

POITOU-

Île d'Oléron

Rochefort

CHARENTES

Angoulême

CHARENTE-
MARITIME

CHARENTE

La Manche

L'OCÉAN ATLANTIQUE

La Mayenne

La Sarthe

La Vilaine

Le Loir

La Loire

La Loire

La Creuse

La Vienne

La Charente

NORD

OUEST

EST

SUD

À L'OUEST, IL Y A LES CÔTES BRETONNES

Baignées au nord par la Manche, au sud par l'Atlantique, les côtes bretonnes sont rocheuses et découpées. Elles abritent de nombreux ports de pêche.

LE NORD DE LA FRANCE

Les plaines du nord de la France sont de riches terres agricoles. Si la région parisienne est très active, d'autres souffrent de la fermeture d'usines et de l'arrêt des mines de charbon.

La baie de Somme est le pays du cheval Henson. Petit mais résistant, il vit en plein air toute l'année. C'est la monture idéale pour découvrir la baie et les nombreux oiseaux qui y séjournent.

Les plages de sable autour de Berck sont parfaites pour les chars à voile. Ces drôles d'engins à 3 roues peuvent filer dans le vent à plus de 100 km/h. La ville est aussi le rendez-vous des cerfs-volants.

À Calais, le tunnel sous la Manche rejoint l'Angleterre. Long de 50 km, dont 38 sous la mer, il est emprunté par un train mettant Londres à 3 h de Paris.

Par la volonté d'un roi, Louis XIV, un simple pavillon de chasse est devenu au 17e siècle un immense palais : le château de Versailles. Il est entouré d'un vaste parc et de bassins ornés de statues.

Le pont de Normandie enjambe la Seine. Il relie le port du Havre à Honfleur. Il passe très haut au-dessus du fleuve pour ne pas gêner les gros bateaux et peut résister à des vents très violents.

La plage de galets d'Étretat est encadrée de hautes falaises blanches. La mer attaque et sculpte la roche, là où elle est le plus tendre. Les vagues ont ainsi creusé des arches, isolé une aiguille.

En juillet, 3 jours durant, la ville de Douai fête une famille de géants. M. Gayant, sa femme et leurs 3 enfants sont promenés dans les rues. Pour le père, 6 porteurs sont nécessaires.

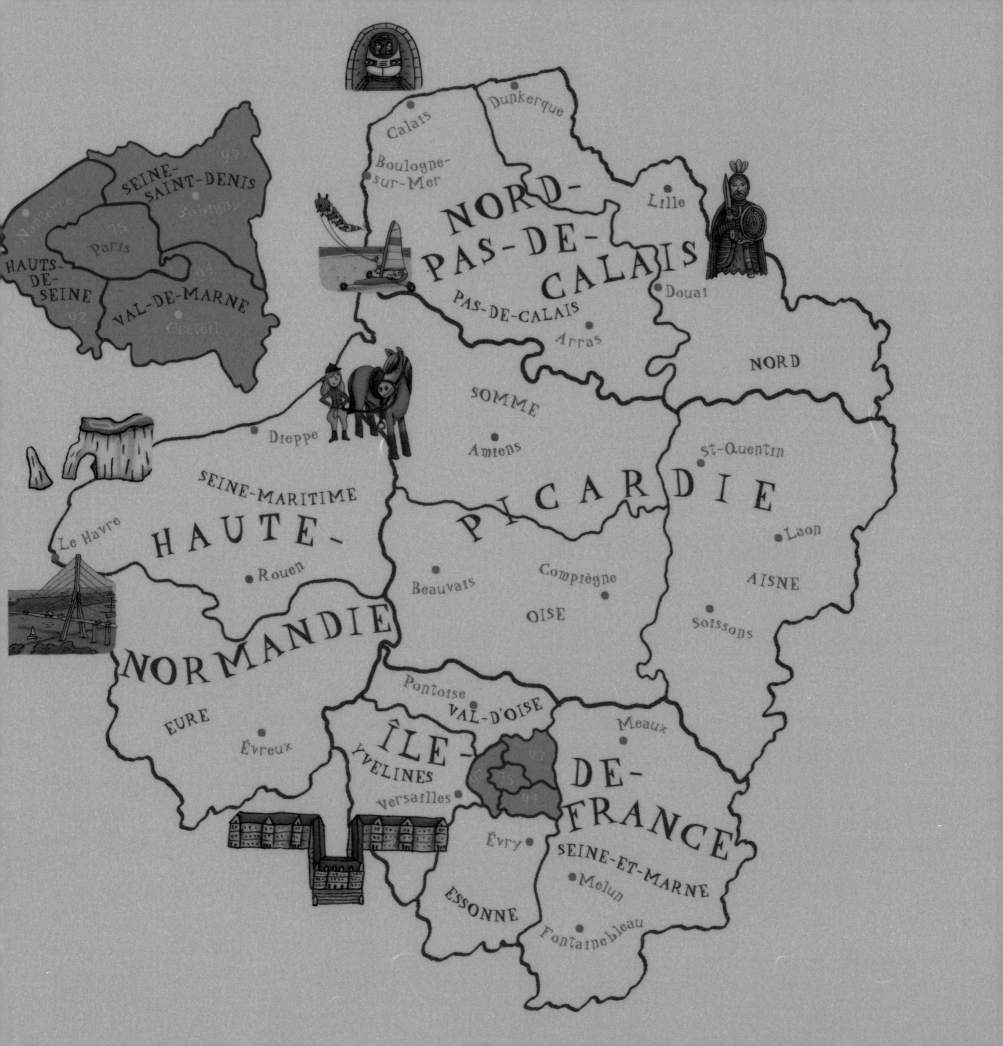

SEINE-
SAINT-DENIS

Nanterre

93

Bobigny

HAUTS-
DE-
SEINE

75

Paris

94

VAL-DE-MARNE

Créteil

92

Calais

Dunkerque

Boulogne-
sur-Mer

Lille

NORD-
PAS-DE-
CALAIS

PAS-DE-CALAIS

Douai

Arras

NORD

Dieppe

SOMME

Amiens

St-Quentin

SEINE-MARITIME

PICARDIE

Laon

Le Havre

Rouen

Beauvais

Compiègne

AISNE

HAUTE-

OISE

Soissons

NORMANDIE

Pontoise

VAL-D'OISE

Meaux

EURE

Évreux

ÎLE-

YVELINES

93

DE-

95

Versailles

94

FRANCE

Évry

SEINE-ET-MARNE

ESSONNE

Melun

Fontainebleau

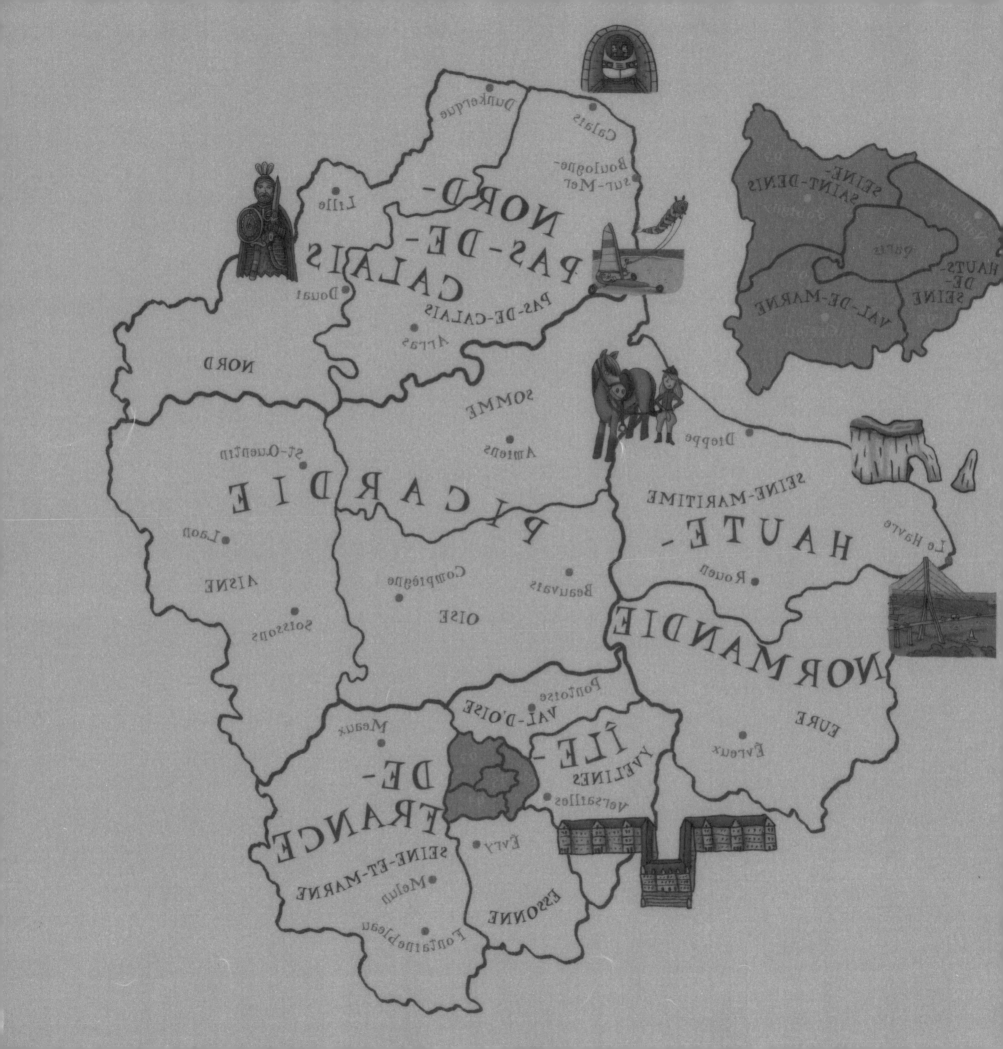

La mer du Nord

La Manche

NORD
OUEST EST
SUD

La Lys

L'Escaut

L'Oise

La Somme

L'Oise

LA FORÊT DE COMPIÈGNE

L'Aisne

La Seine

L'Eure

La Marne

LA FORÊT DE RAMBOUILLET

La Seine

La Seine

LA FORÊT DE FONTAINEBLEAU

AU NORD, IL Y A PARIS

Paris est la capitale de la France. C'est là que réside le président
de la République. Née modestement sur une île de la Seine,
la ville a maintenant une importance internationale.

la Grande Arche

CNIT

QUARTIER DE LA DÉFENSE

marché aux puces de St-Ouen

vignes

Cabaret

cimetière

QUARTIER DE MONTMARTRE

tour Concorde-Lafayette

parc Monceau

Opéra Garnier

la Madeleine

pont de Neuilly

palais des congrès

palais de l'Élysée

Gare St-Lazare

place Vendôme

porte Maillot

CINÉ

Concorde

les Tuileries

Champs-Élysées

arc de Triomphe

Grand Palais

Bois de Boulogne

METRO

Petit Palais

la Seine

Jardins du Trocadéro

zouave

pont Alexandre III

musée d'Orsay

hippodrome de Longchamp

égouts

Palais-Bourbon

tour Eiffel

les Invalides

St-Sulpice

Maison de Radio France

statue de la Liberté

Champ-de-Mars

Matignon

Roland-Garros

tour Montparnasse

hippodrome d'Auteuil

école militaire

unesco

QUARTIER DE MONTPARNASSE

métro aérien

Luxembourg

Parc des Expositions

parc Citroën

Gare Montparnasse

Parc des Princes

cimetière du Montparnasse

place Denfert-Rochereau

le Périphérique

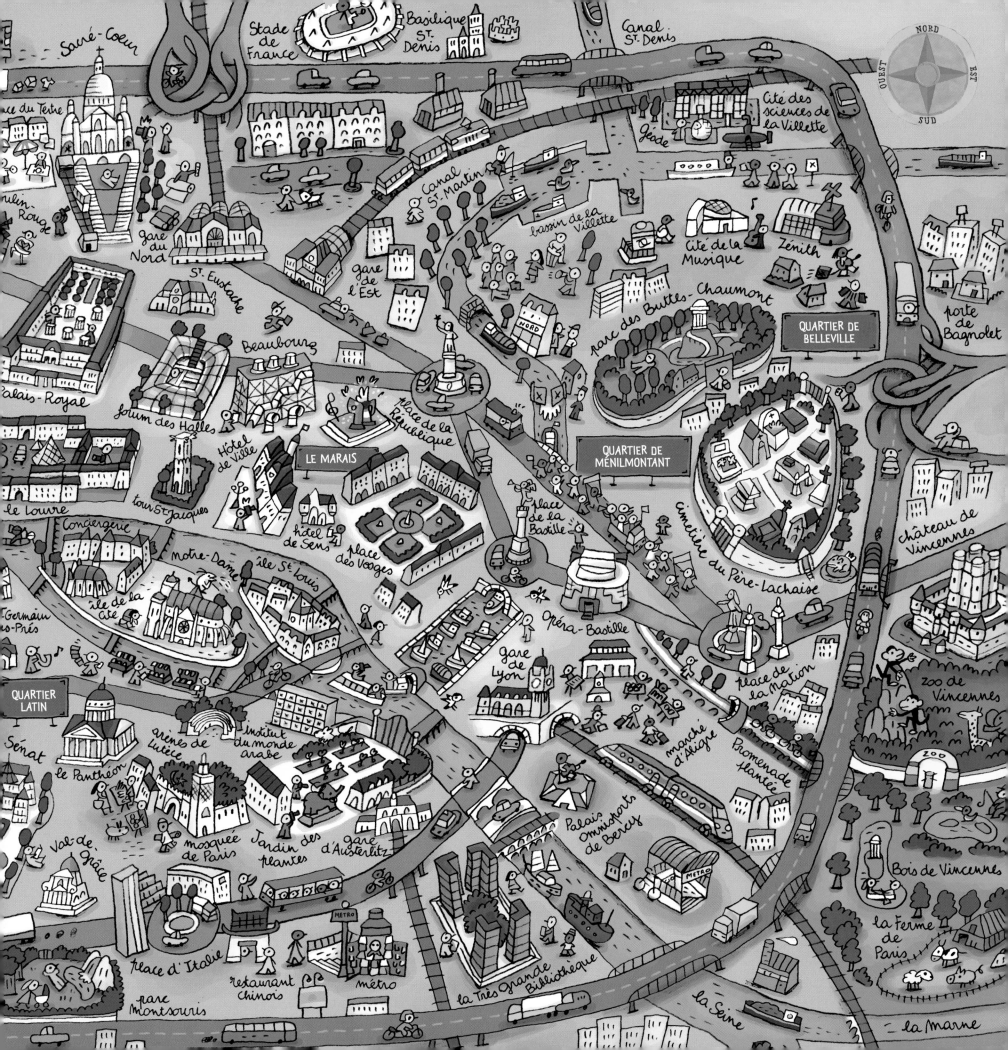

L'EST DE LA FRANCE

C'est dans l'Est que l'hiver est le plus froid. Cela n'empêche pas la vigne de pousser sur les coteaux abrités. Champagne pétillant, vins rouges ou blancs donnent des couleurs et font chaud au cœur.

En Lorraine, saint Nicolas concurrence le père Noël. Début décembre, il distribue des cadeaux aux enfants sages. Il est accompagné du père Fouettard, tout de noir vêtu. Gare aux polissons !

La cigogne, qui passe l'hiver en Afrique et revient au printemps, a failli disparaître d'Alsace. Pour la sauver, on a élevé puis relâché des oiseaux. Ayant perdu le goût du voyage, ils vivent en liberté surveillée.

Le Jura compte de magnifiques forêts de sapins, comme la sapinière de la Joux. Le plus bel arbre, un géant de 45 m, est nommé Président. Contrairement au président de la République, lui est élu à vie.

Les colombages sont les poutres de bois visibles sur les façades de certaines maisons. Il y en a beaucoup à Strasbourg, dans les rues piétonnes près de la cathédrale, un quartier ancien où passe un tramway très moderne.

L'escargot de Bourgogne, autrefois abondant, se fait rare. Les désherbants l'ont détruit et on l'a trop ramassé. Aujourd'hui, sa collecte est réglementée : comme pour la chasse, il faut attendre l'ouverture.

Autour de Reims et d'Épernay, les coteaux abrités, tournés vers l'est, produisent un fameux vin blanc : le champagne. Il est rendu mousseux dans les caves où chaque bouteille est l'objet de soins attentifs.

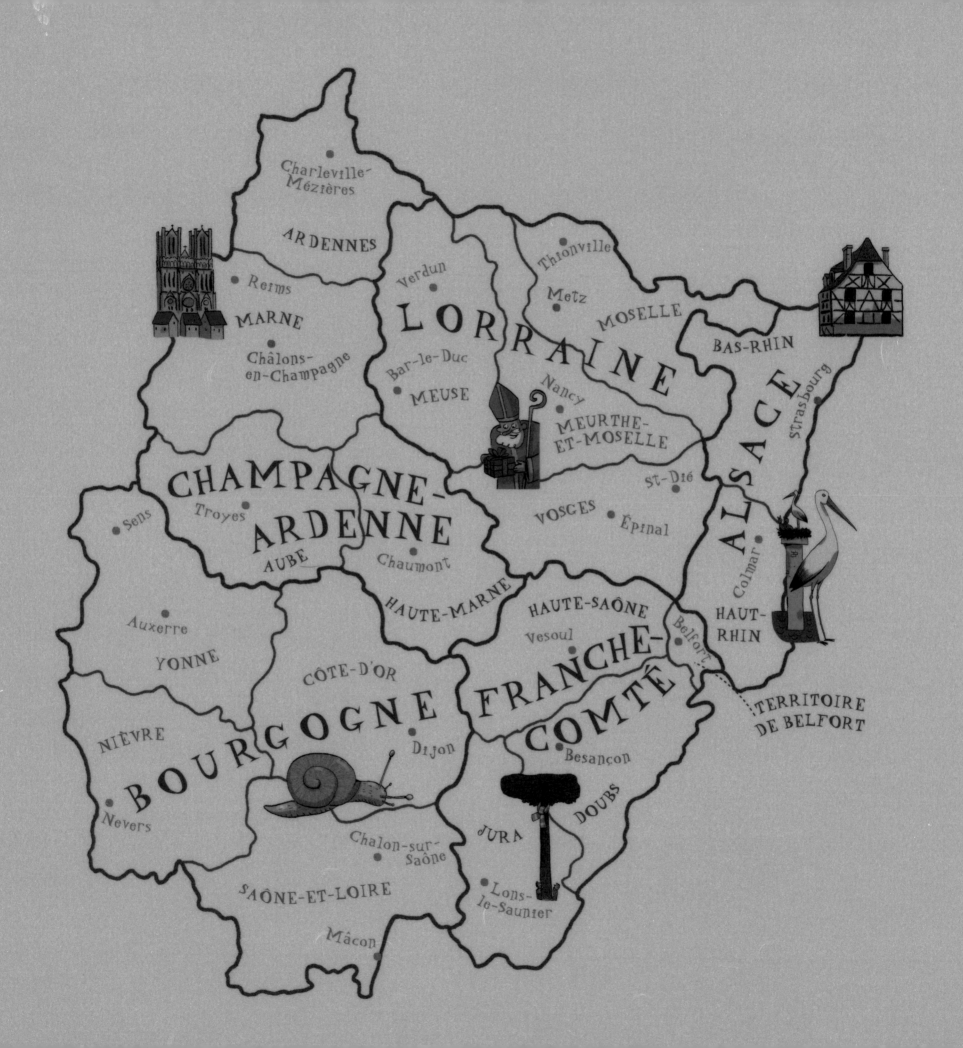

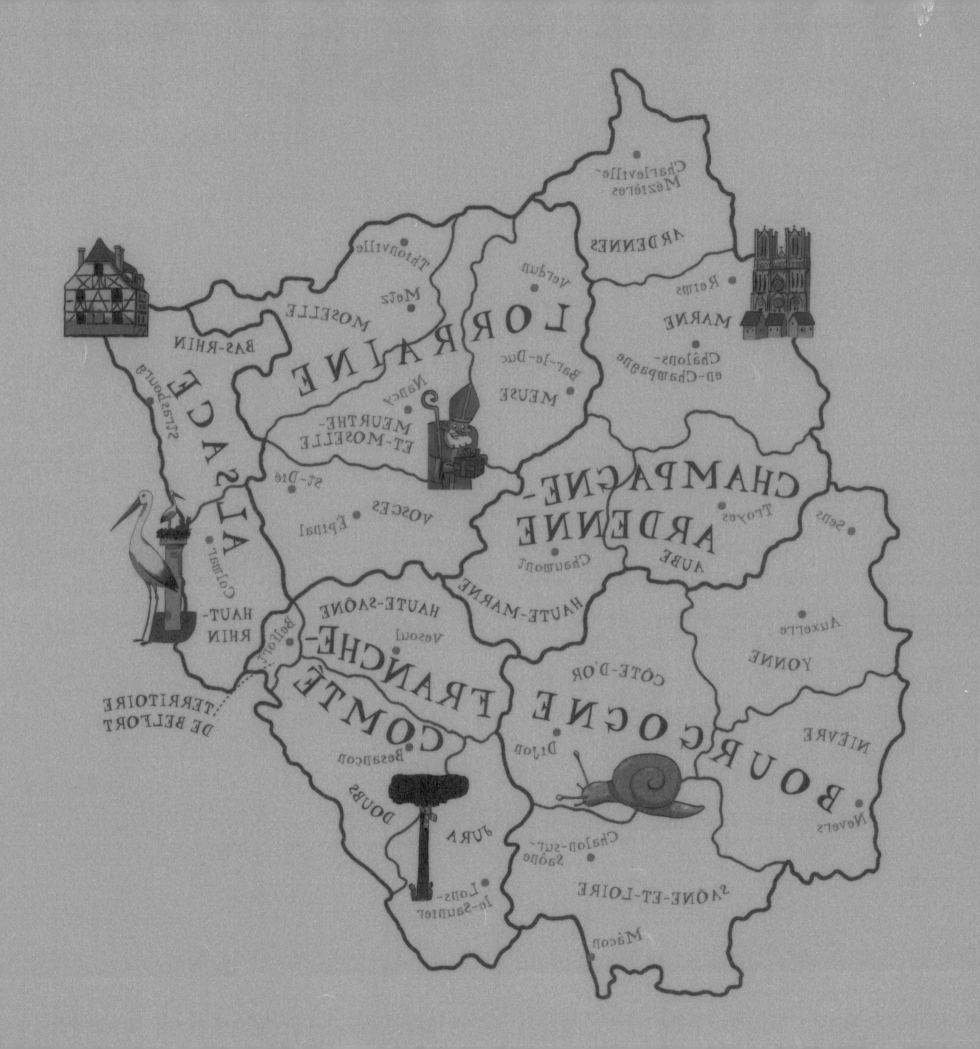

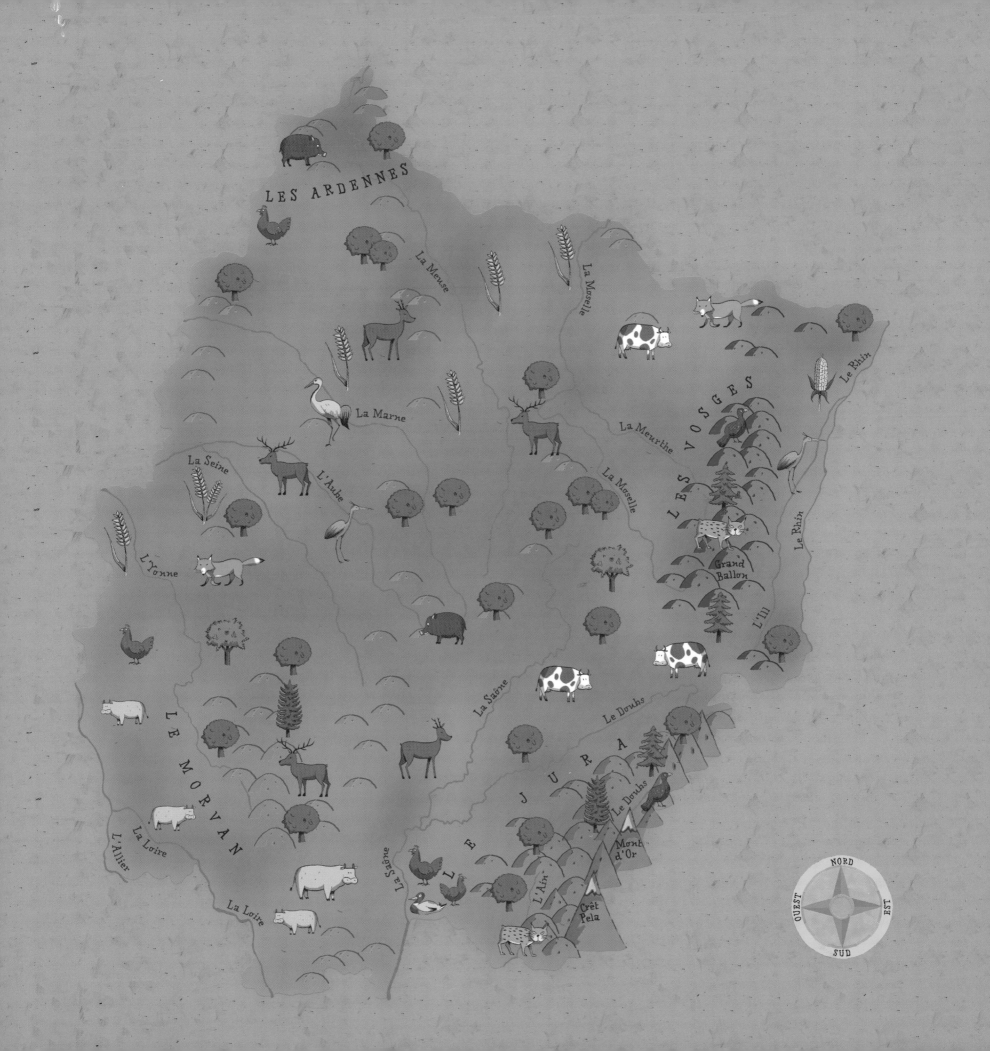

LES ARDENNES

La Meuse

La Moselle

Le Rhin

La Marne

La Meurthe

La Seine

L'Aube

La Moselle

LES VOSGES

L'Yonne

Grand
Ballon

L'Ill

Le Rhin

La Saône

Le Doubs

LE MORVAN

La Saône

Le Doubs

LE JURA

Mont
d'Or

L'Allier

La Loire

L'Ain

Crêt
Pela

La Loire

NORD

OUEST   EST

SUD

À L'EST, IL Y A LES VOSGES ET LE JURA

Ce sont des montagnes moyennes. Les Vosges, usées par le temps, ont des sommets arrondis, appelés des ballons. L'hiver, Vosges et Jura font le bonheur des skieurs de fond.

LE CENTRE DE LA FRANCE

Le Massif central, comme son nom l'indique, occupe le centre de la France.
C'est une montagne ancienne où les volcans tonnaient encore il n'y a pas si longtemps.

La Sologne est une région de bois et d'étangs. À l'automne, les étangs sont vidés pour récupérer le poisson. C'est aussi la saison du brame, quand les cerfs crient et se battent pour conquérir les biches.

La ville du Puy est hérissée de gros rochers. L'un d'eux, surmonté d'une chapelle, est fait de lave qui s'est solidifiée dans un volcan aujourd'hui disparu. La lave, plus dure, a résisté au temps.

Les volcans d'Auvergne se sont endormis : ils ne crachent plus de lave, une roche fondue qui durcit en refroidissant. Leurs cratères sont bouchés ou parfois occupés par un lac, comme le profond lac Pavin.

La loutre vit le long des rivières ou au bord des étangs. Cette excellente nageuse adore le poisson et les écrevisses. Elle s'abrite dans un terrier creusé dans la berge : la catiche.

Dans le Val de Loire, rois de France, grands seigneurs et nobles dames ont fait bâtir de nombreux châteaux. Chenonceau, l'un des plus élégants, est le seul à enjamber une rivière.

Le 1er dimanche d'août, le village de Bué, dans le vignoble de Sancerre, réunit les birettes. Ces drôles de fantômes s'amusent à faire peur mais les passants se remettent vite de leur frayeur... un verre à la main.

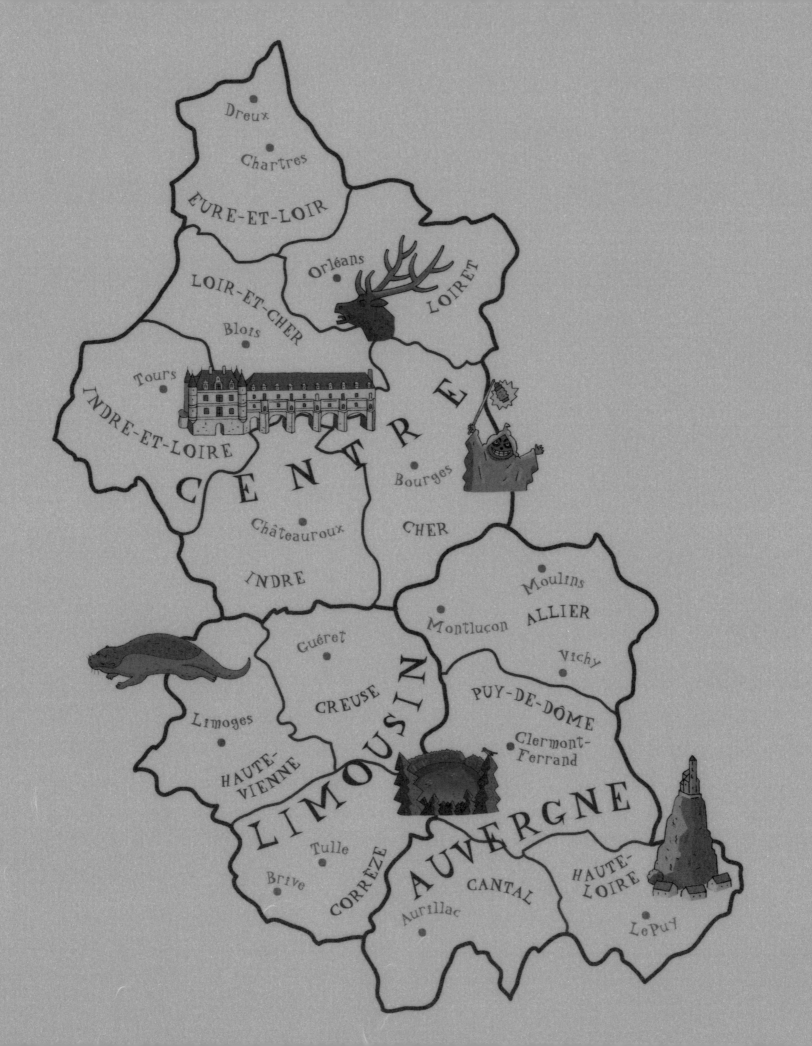

Dreux

Chartres

EURE-ET-LOIR

Orléans

LOIRET

LOIR-ET-CHER

Blois

Tours

INDRE-ET-LOIRE

CENTRE

Bourges

Châteauroux

CHER

INDRE

Moulins

ALLIER

Montluçon

Vichy

Guéret

CREUSE

PUY-DE-DÔME

Limoges

LIMOUSIN

Clermont-
Ferrand

HAUTE-
VIENNE

AUVERGNE

Tulle

CORRÈZE

CANTAL

HAUTE-
LOIRE

Brive

Aurillac

Le Puy

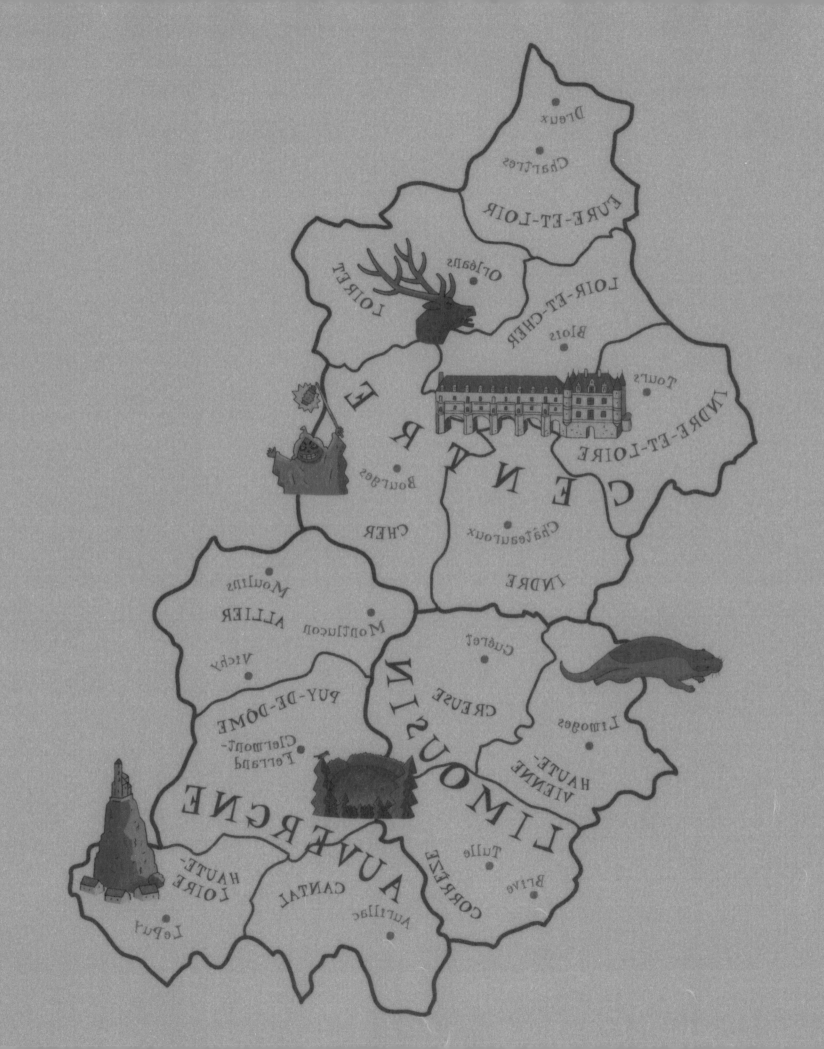

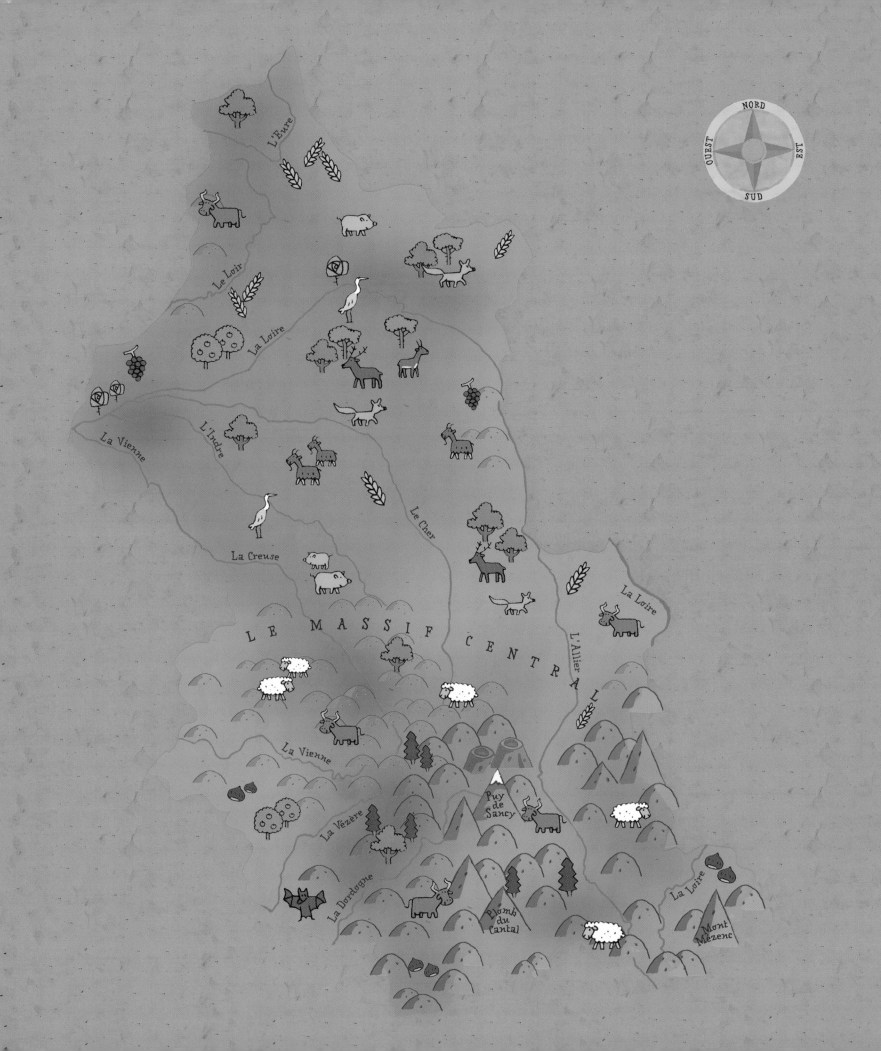

RHÔNE-ALPES

ROANNE

la Loire

VICHY
eau minérale

MOULINS

THIERS

château de la Roche

la Loire

barrage de Grangent

île de Grangent

rochers

Mont Mézenc (1754m)

Mont Gerbier-de-Jone

dentellière

le Massif central

château de Polignac

LA CHAISE-DIEU

LE PUY

couteau en corne

fourme d'Ambert

aviron

l'Allier

saumon

viaduc de Garabit

Forêt de Tronçais

CLERMONT-FERRAND

RIOM

Vercingétorix

château de Tournoël

ISSOIRE

st-nectaire

BRIOUDE

SAINT-FLOUR

château d'Alleuze

AUVERGNE

lac chambon

Puy de Sancy (1886m)

lac Pavin

MONTLUÇON

château de Val

Plomb du Cantal (1858m)

château d'Anjony

AURILLAC

la Truyère

pont de Tréboul

le Cher

champ

tapisserie d'Aubusson

Puy de Pariou

les volcans d'Auvergne

Puy de Dôme (1464m)

Puy de la Vache et de Lassolas

barrage

Puy Mary

châtaignes

ruines de Crozant

Puy de Côme

UZERCHE

les Orgues de Bort

Cantal

GUÉRET

Plateau de Millevaches

château d'Anjony

St-SAVIN

Lac de Vassivière

TULLE

BRIVE

COLLONGES-LA-ROUGE

la Dordogne

pêcheur à la mouche

porcelaine

montgolfière

canoës

rugby

LIMOGES

la traite

LIMOUSIN

cèpes

la Vézère

CHAUVIGNY

loutres

ANGOULÊME

la Vienne

POITOU-CHARENTES

NORD EST SUD OUEST

AU CENTRE, IL Y A LA LOIRE

Parfois un filet d'eau, parfois de grosses crues : la Loire reste capricieuse. On vient de loin visiter les nombreux châteaux qui jalonnent le fleuve et ses affluents.

la Charente

POITiERS

LE SUD-EST DE LA FRANCE

Le Sud-Est prend le frais dans les glaciers des Alpes et bronze au bord de la Méditerranée. En été, la Provence est le royaume des cigales.

En juillet, à Avignon, le théâtre est roi. Troupes célèbres ou inconnues jouent dans toute la ville. La place du palais des Papes sert ainsi de décor à de nombreuses animations.

Le facteur Cheval ramassait des cailloux en distribuant le courrier. Avec ces pierres, il bâtit la maison de ses rêves, le « Palais idéal ». On le prit pour un fou. Aujourd'hui, on admire son œuvre.

La tortue d'Hermann survit dans le massif des Maures et en Corse. Interdiction de la ramasser ! Le feu, qui, chaque été, brûle des hectares de végétation méditerranéenne reste son grand ennemi.

Les Alpes culminent au mont Blanc à 4 808 m. Son dôme enneigé domine des glaciers et des sommets pointus. Parmi eux, l'aiguille du Midi, qu'escaladent les alpinistes mais qu'on atteint aussi par téléphérique.

Tous les ans, la Coupe Icare attire dans l'Isère des milliers d'amateurs de parapente et de deltaplane. Le clou du spectacle : le concours de déguisements. Imagination et humour sont au rendez-vous.

En Corse, l'île de Beauté, la vie s'écoule avec douceur. Mer et montagne s'unissent dans des paysages exceptionnels, comme en témoigne la ville de Bonifacio.

Roanne

RHÔNE

Bourg-en-Bresse

AIN

HAUTE-
SAVOIE

Annecy

LOIRE

Lyon

Saint-
Étienne

ISÈRE

Chambéry

SAVOIE

Grenoble

ARDÈCHE

Valence

R H Ô N E - A L P E S

Privas

HAUTES-ALPES

Gap

DRÔME

P R O V E N C E - A L P E S -

VAUCLUSE

ALPES-DE-
HAUTE-PROVENCE

Digne

ALPES-
MARITIMES

Avignon

Arles

BOUCHES-
DU-RHÔNE

P R O V E N C E - C Ô T E   D ' A Z U R

Nice

Cannes

VAR

Marseille

Toulon

Îles d'Hyères

HAUTE-
CORSE

Bastia

C O R S E

Ajaccio

CORSE-
DU-SUD

Bonifacio

Lyon

Roanne

LOIRE

Saint-Étienne

SAVOIE

Chambéry

ISÈRE

Grenoble

RHÔNE-ALPES

ARDÈCHE

Valence

Privas

DRÔME

HAUTES-ALPES

Gap

ALPES-DE-HAUTE-PROVENCE

Digne

VAUCLUSE

Avignon

Arles

BOUCHES-DU-RHÔNE

Marseille

ALPES-MARITIMES

Nice

Cannes

PROVENCE-ALPES-CÔTE D'AZUR

VAR

Toulon

Îles d'Hyères

CORSE

HAUTE-CORSE

Bastia

Ajaccio

CORSE-DU-SUD

Bonifacio

AU SUD-EST, IL Y A L'AUTOROUTE DU SOLEIL

Quelle circulation sur l'autoroute du Soleil ! Elle rejoint Marseille par la vallée du Rhône qu'empruntent aussi le TGV... et le mistral, un vent du nord à décorner les taureaux de Camargue.

LE SUD-OUEST DE LA FRANCE

Qu'ils vivent au pied de la barrière des Pyrénées, en Languedoc ou au Pays basque,
les habitants du Sud-Ouest ont toujours le sens de la fête.

Sur les parois de la grotte de Lascaux, dans la vallée de la Vézère, les hommes préhistoriques ont peint des animaux. Des aurochs, une sorte de bœufs sauvages, des cerfs, des chevaux...

Les joutes sétoises sont un jeu très populaire. Comme pour un tournoi de chevaliers, les jouteurs s'affrontent, armés d'une lance et d'un bouclier, dans le port de Sète. Mais là, le vainqueur pousse son adversaire à l'eau.

L'isard vit dans les Pyrénées. C'est un sacré montagnard qui ne craint pas le vertige. Bon pied, bon œil, il saute de rocher en rocher. L'hiver, il descend vers la vallée et trouve refuge dans les forêts.

Le cirque de Gavarnie se dresse au fond d'une vallée des Pyrénées. Sa muraille rocheuse dépasse les 3 000 m. À la fonte des neiges, une cascade plonge dans le vide sur plus de 400 m.

À Toulouse, on assemble des avions fabriqués par morceaux à travers l'Europe. On fait aussi des satellites que lancera la fusée Ariane dont la maquette domine la Cité de l'Espace.

Lors des fêtes de Bayonne, un géant, le roi Léon, détrône le maire pour régner sur la ville. Pendant 5 jours, tout est permis ! Les enfants courent devant des vachettes de carton. Quant aux grands, ils courent encore plus vite devant de vrais taureaux.

Bordeaux •

GIRONDE

Périgueux •

DORDOGNE

LOT

Cahors •

AQUITAINE

LOT-ET-
GARONNE

Agen •

TARN-ET-
GARONNE

Montauban •

Rodez •

AVEYRON

Mende •

LOZÈRE

Mont-
de-Marsan •

GERS

Auch •

MIDI-

PYRÉNÉES

Albi •

TARN

GARD

Nîmes •

LANDES

Castres •

LANGUEDOC-

Bayonne •

Pau •

HAUTE-
GARONNE

Toulouse •

Carcassonne •

ROUSSILLON

HÉRAULT

Montpellier •

PYRÉNÉES-
ATLANTIQUES

Tarbes •

ARIÈGE

HAUTES-
PYRÉNÉES

Foix •

AUDE

PYRÉNÉES-
ORIENTALES

Perpignan •

AU SUD-OUEST, IL Y A LE CANAL DES DEUX-MERS

Le canal latéral à la Garonne et le canal du Midi forment le canal des Deux-Mers.
Il relie l'Océan à la Méditerranée au rythme paisible du passage des écluses.

· LA ROSE DES VENTS ·

La rose des vents indique la direction des 4 points cardinaux :
le nord, le sud, l'ouest et l'est. Dans cet atlas, elle accompagne
toutes les cartes géographiques et tous les voyages,
pour t'aider à te repérer dans l'espace.

... Frédéric Pillot
est parti dans l'Ouest
pêcher la langouste...

Freddy Dermidjian
a croisé quelques pirates
dans les DOM-TOM...

NOS GUIDES
TOURISTIQUES

Ils ont fait un beau voyage
et pris des risques pour nous rapporter
de magnifiques illustrations.

© 2004 Éditions MILAN - 300, rue Léon-Joulin, 31101 Toulouse Cedex 9 France
Droits de traduction et de reproduction réservés pour tous les pays.
Toute reproduction, même partielle, de cet ouvrage est interdite.
Une copie ou reproduction par quelque procédé que ce soit, photographie,
microfilm, bande magnétique, disque ou autre, constitue une contrefaçon passible
des peines prévues par la loi du 11 mars 1957 sur la protection des droits d'auteur.
Loi 49.956 du 16.07.1949
Dépôt légal : 4e trimestre 2004
ISBN : 2-7459-1506-1
Imprimé en Italie